A.J.
y su extraño colegio

Bruño
LECTORUM

Para Emma.

Título original: *Mrs. Roopy Is Loopy!*,
publicado por primera vez en EE UU
por Harper Trophy®, una marca registrada
de HarperCollins Publishers Inc.

Juan Ignacio Luca de Tena, 15; 28027 Madrid

www.brunolibros.es

Dirección del Proyecto Editorial: Trini Marull
Dirección Editorial: Isabel Carril
Edición: Cristina González
Traducción: Begoña Oro
Diseño de cubierta: Miguel Ángel Parreño
Diseño de interior: Equipo Bruño

ISBN: 978-84-696-2594-1
Depósito legal: M-21120-2018
Printed in Spain

Texto:
Dan Gutman

Dibujos:
Jim Paillot

Bruño
LECTORUM

Índice

A.J.
Emily
RYAN

Andrea
Michael
A+

1
Un tipo con uniforme

Me llamo A.J. y odio el colegio.

Yo creo que en el colegio no deberían enseñarnos a leer, ni a escribir, ni matemáticas... ¡Deberían enseñarnos a dar súper saltos con la bici!, ¿a que sí?

Pero, por alguna razón misteriosa, nuestra profesora, la señorita Lulú, piensa que es importantísimo que aprendamos lengua, y *mates,* y cosas de esas.

La profe nos mandó de deberes que escribiéramos un cuento cada uno, con dibujos y todo. Luego los leeríamos en voz alta en clase.

Andrea, que es una sabelotodo y no hay quien la aguante, se inventó una historia sobre una familia de flores que estaba triste porque el cielo se había nublado. Pero entonces salía el sol y las flores se ponían contentas.

Era un cuento tontísimo, ¿a que sí? Las flores no pueden estar contentas ni tristes. Solo están ahí plantadas, sin hacer nada.

Pero la profe dijo que la historia de Andrea era preciosa, y veeeeenga a repetir lo bien que estaba escrita y lo original que era. Un asco, vamos.

Mi cuento iba sobre unos monstruos gigantes devorahombres que luchaban montados en bicis espaciales

hasta que acababan todos muertos, y le hice unos dibujos chulísimos.

Emily, que es pelirroja y una llorica total, se quejó de que mi cuento

daba mucho miedo, pero es que a ella le da miedo todo, claro.

La señorita Lulú dijo que mi cuento era muy imaginativo, pero que a ver si la próxima vez me inventaba una historia un poco menos violenta.

—¿Qué tienen de violento unos monstruos gigantes devorahombres que luchan montados en bicis espaciales y al final mueren? —pregunté yo.

Todos se echaron a reír, y eso que yo lo había preguntado muy en serio.

—¿Y si al final del cuento los monstruos se pidiesen perdón entre ellos e hicieran las paces? Así no se morirían todos... —propuso Andrea.

—Bah, tú no tienes ni idea —repliqué yo—. Los monstruos devorahombres jamás piden perdón... ¡Eso lo sabe todo el mundo!

Así que Andrea y yo estábamos discutiendo cuando un tipo de lo más raro entró como una tromba en clase.

Llevaba un uniforme militar del año de la patata, una peluca blanca y una espada.

—¡Estar preparado para la guerra es la mejor forma de mantener la paz! —exclamó, y se marchó tan deprisa como había venido.

Todos nos quedamos pasmados.

—¿Y ese quién era? —preguntó mi amigo Michael, que nunca lleva las zapatillas atadas aunque se pase tooooodo el rato pisándose los cordones.

—Ni idea —contesté yo.

—¿No sería el director disfrazado? —preguntó Ryan, mi otro amigo, que se sienta a mi lado en la tercera fila.

—No lo creo... —dijo la señorita Lulú—. Fuese quien fuese, se ha ido en dirección a la biblioteca... ¡Será mejor que lo sigamos! ¡Venga, chicos, todo el mundo en fila!

2
La bibliotecaria

Siempre que salimos de clase en fila, a Michael le toca ir el primero y a Andrea le toca quedarse sujetando la puerta hasta que pasemos todos.

Fuimos hacia la biblioteca, que ahora está nueveciiiiita y reluciente. Estaba hecha una ruina total y aprovecharon para arreglarla en las vacaciones de verano.

La biblioteca es una parte del colegio donde hay cientos de libros que puedes llevarte a casa... ¡y sin pagar! Lo único malo es que tienes que devolverlos cuando te los has leído.

Mi amigo Billy, que vive en mi calle, es un año mayor que yo y va a otro colegio, me dijo que, si no devuelves los libros de la biblioteca a tiempo, el bibliotecario te encierra en un calabozo que hay en el sótano. Aunque no sé si creérmelo, la verdad.

—La señora Viñeta es la nueva bibliotecaria —nos dijo la señorita Lulú—. Tenéis que portaros bien para causarle buena impresión, ¿eh?

—Yo siempre me porto bien —dijo Andrea. Además de una sabelotodo, Andrea es una plasta. Fijo que, si le dijeran que se portase mal, ¡no sabría qué hacer!

Cuando llegamos a la biblioteca, nos quedamos de piedra.

¡Allí dentro había un árbol gigante! Y en la copa del árbol, muy cerca del techo, ¡había una casita con una escalera para subir hasta ella!

—¿Y ese árbol? —pregunté.

—Ni idea —contestó Ryan—. ¿Cómo lo habrán metido aquí dentro?

—A lo mejor ha crecido en las vacaciones… —se le ocurrió a Michael.

—Los árboles no crecen en las bibliotecas —dijo Andrea, como si lo supiera tooooodo sobre los árboles.

—¿Y si lo han construido? —preguntó Emily.

—Los árboles no se construyen; los árboles se plantan —le dije, y ella me miró con cara de echarse a llorar, como siempre.

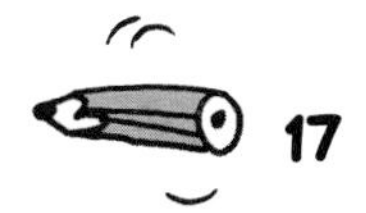

El árbol era guay.

Algunos empezamos a trepar por él, pero la señorita Lulú dijo que nos bajáramos, que iba a empezar la hora de biblioteca.

—¿Y dónde está la bibliotecaria nueva? —preguntó Ryan.

Miramos por todas partes, pero no había ni rastro de la señora Viñeta.

Entonces, el tipo del uniforme se asomó por la casa del árbol y bajó por la escalera.

Bueno, a lo mejor no era un tipo, porque si te fijabas bien, parecía una mujer disfrazada.

Cuando llegó abajo, se puso firme y nos hizo un saludo militar.

—¿Eres la bibliotecaria nueva? —le pregunté.

—¡Por supuesto que no! —contestó—. ¡Me llamo George Washington y soy el primer presidente de los Estados Unidos de América!

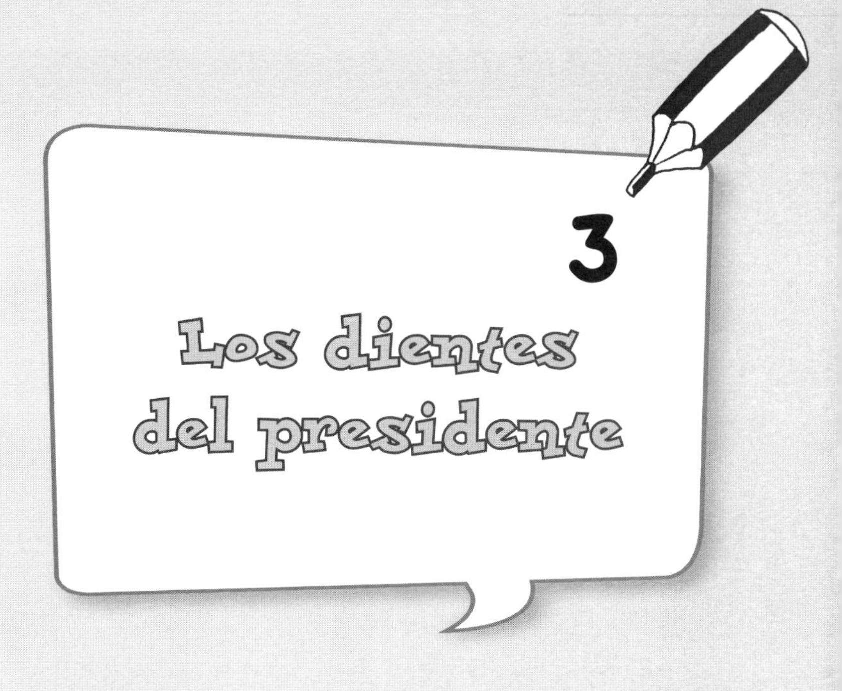

3
Los dientes del presidente

Una vez vi un documental sobre cosas curiosas de la historia, y en él contaban que George Washington llevaba una dentadura de madera. ¿A que mola?

Así que, si no llevaba una dentadura de madera, el tipo de la peluca que acababa de bajarse del árbol no podía ser George Washington, ¿no?

—Si de verdad eres George Washington, enséñanos los dientes —le dije.

Entonces él se sacó una dentadura postiza del bolsillo, giró una ruedecita y la dentadura empezó a hacer «ñac-ñac-ñaccc» en la palma de su mano.

Nada más ver aquello, Emily se echó a llorar del susto. ¡Esa chica llora por todo, oye!

—¡Uauuu, qué dentadura más chula! ¡Ojalá yo tuviera una así! A lo mejor resulta que sí que eres George Washington de verdad… —le dije al tipo del uniforme.

—Pues a mí no me engañas —le soltó la listilla de Andrea—. Tú no eres el primer presidente de Estados Unidos… ¡Tú eres la señora Viñeta, la bibliotecaria nueva, que te has dis-

frazado de George Washington! Se supone que vas a leernos cuentos y a enseñarnos a usar el ordenador.

—¿El *ordena...*qué? —replicó George Washington, arrugando la frente—. No sé de qué me habla, señorita. Estamos en el año 1790 y los *ordena...*esos no se han inventado aún.

Dijéramos lo que dijéramos, aquel tipo estaba empeñado en decir que era el auténtico George Washington.

Nos leyó un cuento sobre cuando era pequeño y cortó un cerezo, nos enseñó un montón de libros sobre Estados Unidos y durante tooooodo el tiempo que estuvimos en la biblioteca siguió dale que te pego con que era el primer presidente de ese país.

Al final, todos acabamos llamándole *presi*.

—*Presi,* ¿puedo ir al baño? —le pregunté.

Todos se echaron a reír, y eso que yo lo había dicho muy en serio.

Lo que pasa es que a la gente siempre le parece gracioso todo lo que tenga que ver con el baño.

Si quieres que alguien se ría, solo tienes que decir «pis» o «calzoncillos».

Nunca falla.

—Lo siento —me contestó el *presi*—. Estamos en el año 1790 y los cuartos de baño no se han inventado todavía.

Como no era súper urgente, me aguanté.

El *presi* nos dijo que podía buscarnos cualquier libro, y yo le pedí uno de aviones de guerra. El que me dio tenía unas fotos chulísimas.

Para ser un presidente y tal, George Washington sabía un montón sobre encontrar libros en una biblioteca...

Llegó la hora de ir a comer.

Al salir de la biblioteca, uno a uno nos pusimos firmes delante del *presi* y le hicimos un saludo militar.

—Oye, ¿y por qué cortaste aquel cerezo? —aproveché para preguntarle.

—Hum... Necesitaba un poco de madera para hacerme la dentadura,

¿sabes? —contestó él, y volvió a sacarse del bolsillo la dentadura postiza que hacía «ñac-ñac-ñaccc».

Todavía no sé si aquel tipo era o no el auténtico George Washington, pero lo que sí tengo claro es que estaba un poco chiflado.

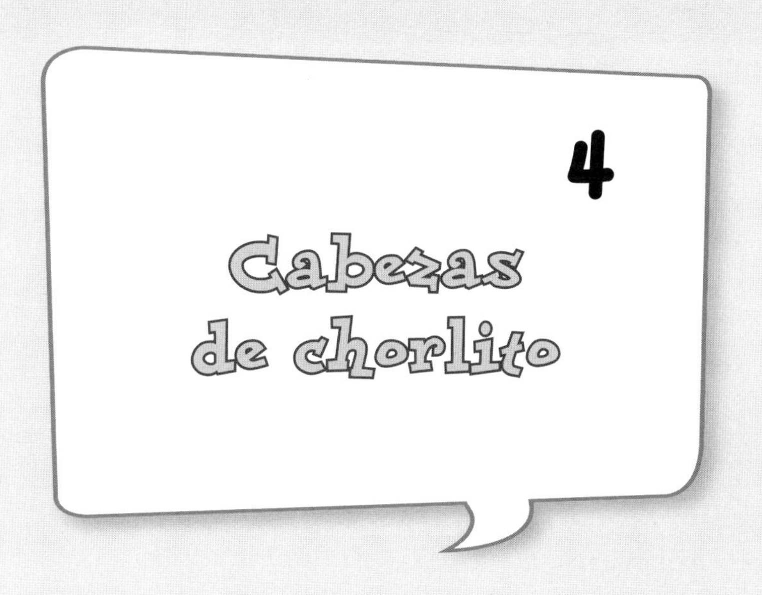

4
Cabezas de chorlito

En el comedor (también conocido como el *vomitorio),* Ryan se metió dos de mis palitos de zanahoria por la nariz y yo le dije que a que no se atrevía a comérselos. Y se los zampó, el tío. Yo no me los habría comido ni siquiera antes de que él se los metiese por la nariz.

—¿Creéis que ese tipo era de verdad George Washington? —preguntó Ryan.

—No sé… —dijo Michael—. ¿Tú qué piensas, A.J.?

Andrea se inclinó desde la mesa de al lado y abrió la bocaza:

—¡Ese no era George Washington, cabezas de chorlito! —exclamó—. ¡Era la bibliotecaria disfrazada!

Puede que Andrea tuviese razón, pero yo no pensaba reconocerlo ni loco, porque me cae fatal.

—Además, el primer presidente de Estados Unidos lleva muerto más de doscientos años —siguió diciendo.

Entonces fue cuando me di cuenta...

Si aquel tipo en realidad era la señora Viñeta disfrazada, ¡a lo mejor la señora Viñeta no era una auténtica bibliotecaria!

—Puede que solo se esté haciendo pasar por bibliotecaria, igual que finge ser George Washington... —dije con voz de misterio.

—¡Eso es, A.J.! —exclamó Michael—. Puede que sea una secuestradora que tiene a nuestra verdadera bibliotecaria encerrada en un almacén abandona-

do en la otra punta de la ciudad. Lo vi una vez en una peli.

—¡Tenemos que rescatarla! —dijo Emily con los ojos llenos de lágrimas.

Solo había una forma de saber la verdad.

Vaciamos las bandejas del comedor y volvimos a clase a preguntarle a la señorita Lulú si George Washington era en realidad la señora Viñeta disfrazada.

—¡No digáis tonterías! —nos respondió la profe—. La señora Viñeta está enferma y no ha venido hoy. Así que el de la biblioteca tenía que ser el auténtico George Washington…

Pero… ¿quién va a fiarse de lo que diga la señorita Lulú, si la pobre no sabe ni la u?

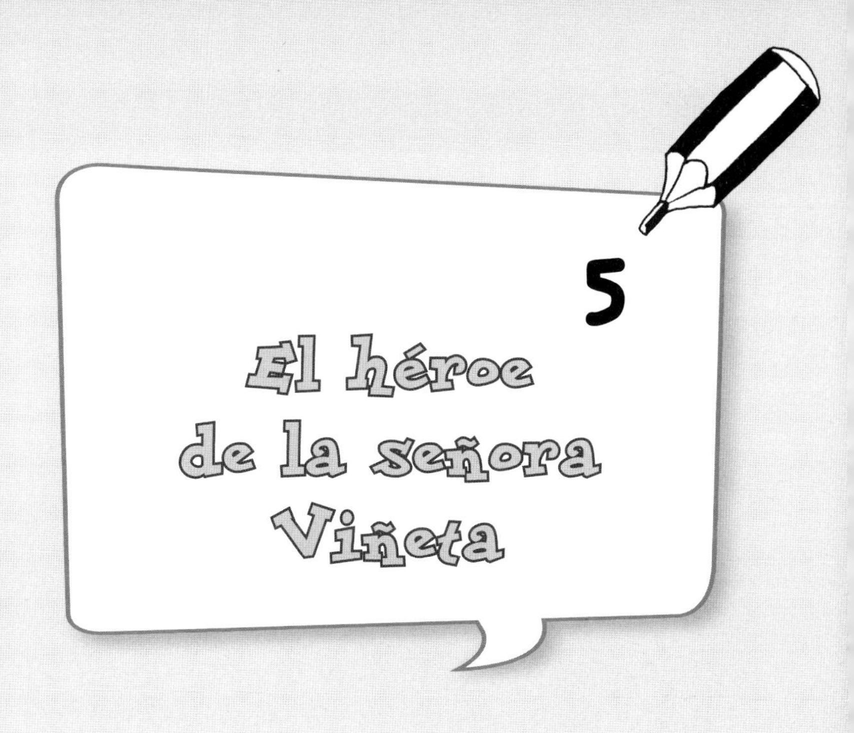

5
El héroe de la señora Viñeta

Todos estábamos deseando volver a la biblioteca para ver si George Washington seguía allí.

Cuando por fin nos tocó ir, nos recibió una señora que se parecía un poco a George Washington, solo que sin uniforme militar, sin peluca y sin espada. Parecía una bibliotecaria de lo más normal y corriente.

—Buenos días —dijo—. Soy la señora Viñeta, y siento no haber podido estar en vuestra primera visita a la biblioteca.

—¡Sí que estabas! —saltó Ryan.

—Debes de estar confundido… —replicó la bibliotecaria—. Ese día estuve enferma y me quedé en casa.

—¿Podemos volver a ver tu dentadura de madera? —le preguntó Michael.

—¡Sí, sí! ¿Nos la enseñas? —insistimos todos.

—¿Dentadura de madera? No, no…, eso es un grave error histórico… George Washington no usaba una dentadura de madera. Llevaba dientes postizos, sí, ¡pero eran de vaca!

—¡Puajjjjj! —gritamos todos, muertos de asco.

—Vale, pero el George Washington del otro día eras tú disfrazada, ¿a que sí? —insistió Michael.

La frente de la señora Viñeta se llenó de arrugas, igual que la de George Washington cuando le hablamos del ordenador.

—No sé de qué me habláis —contestó.

Nos miramos unos a otros. Aquella bibliotecaria era dura de pelar...

—Si yo fuera George Washington, ¿creéis que tendría esto? —nos preguntó, y entonces se levantó un poco la camiseta y nos enseñó la tripa.

Tenía un tatuaje pequeñito en forma de corazón justo encima del ombligo. Era guay.

Tuvimos que reconocer que George Washington nunca llevaría un tatuaje de un corazón en la tripa, así que podía ser que, después de todo, el tipo del uniforme y la peluca no fuese la bibliotecaria disfrazada.

—Dejadme que os enseñe la biblioteca —dijo la señora Viñeta—. ¿Sabéis que los libros pueden llevarnos a sitios donde nunca hemos estado? ¡Nos ayudan a descubrir el mundo! Aquí hay libros sobre todos los temas que os podáis imaginar... Esta es la sección de ficción. ¿Alguien sabe la di-

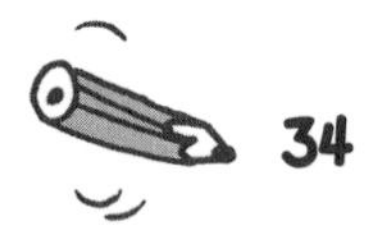

ferencia entre los libros de ficción y los de no ficción?

—Los libros de no ficción son en los que no sale nada de ficción —contestó Ryan—. Igual que las novelas son los libros donde no salen velas.

—¡Qué va! —salté yo—. «Ficción» es lo que pasa cuando frotas dos cosas.

Todos se echaron reír, y eso que yo lo había dicho muy en serio.

—¡Eso es «fricción», A.J.! —saltó la lista de Andrea—. «Ficción» es algo inventado, y «no ficción» es algo que pasa de verdad.

—¡Muy bien! —sonrió la señora Viñeta.

Ojalá la plasta de Andrea se hubiera quedado calladita.

—Bah, ¿y a quién le importa la diferencia entre los libros de ficción y los de no ficción? —pregunté—. ¡Si tooooodos son un rollo patatero!

La clase entera exclamó «¡OHHHHH!», como si yo hubiera dicho una palabrota o algo.

—Pero... ¡todo el mundo debería leer, A.J.! —replicó la bibliotecaria.

—Yo no —dije—. De mayor, seré campeón de saltos en bici, y para eso no hace falta leer nada.

—¡Y yo también! —exclamaron Michael y Ryan a la vez.

Entonces le contamos a la señora Viñeta que todos los días, al acabar el colegio, los tres volvíamos a casa en bici. ¡Yo aprendí a montar cuando todavía iba a la guarde! Ahora ya doy unos saltos alucinantes y lo sé todo sobre el BMX, que es como se llama ese deporte. ¡Tengo las paredes de mi cuarto llenas de pósters de los mejores saltadores de la galaxia!

—Bueno, la verdad es que no sé mucho de… como se llame eso de saltar con la bici, A.J. —dijo la bibliotecaria—, pero en mi habitación yo también tengo un póster de mi héroe particular…

—¿Y quién es? —le preguntó Andrea.

—Melvil Dewey.

—Melvil... ¿qué?

—Melvil Dewey fue un famoso bibliotecario —dijo la señora Viñeta con los ojos muy abiertos y brillantes.

—Los bibliotecarios no son famosos —repliqué yo.

—Melvil Dewey sí que lo fue —dijo la bibliotecaria—. Inventó el sistema para organizar los libros en las bibliotecas... Si no fuera por él, ¡sería imposible encontrar nada de nada en ellas!

—¡Uauuu! —exclamó Andrea, como si todo aquel rollo le pareciese interesantísimo.

—Gracias al sistema Dewey, si quieres encontrar un libro sobre insectos en una biblioteca, basta con que

busques el número 595 —siguió explicando la señora Viñeta—. Y si quieres encontrar un libro sobre dinosaurios, deberás buscar el 567. La mitad de las bibliotecas del mundo utilizan ese método, y la otra mitad, una variación del mismo.

—¿Y sabes si, de pequeño, en el colegio se metían con ese tipo por llamarse Melvil? —pregunté yo.

Si en nuestro cole hubiese alguien con un nombre tan ñoño como ese, fijo que el pobre lo iba a pasar bastante mal…

—Ni idea —dijo la bibliotecaria—, pero ¿queréis oír una canción que compuse sobre él?

—¡Síííííí! —contestamos todos.

A mí no me hacía mucha gracia, pero por lo menos, escuchar una canción era mejor que tener que leer un libro.

La señora Viñeta fue a su despacho y volvió con una guitarra… ¡con armónica incorporada! Tocó un par de notas para calentar.

—Os sabéis la canción *Tengo una muñeca vestida de azul,* ¿verdad?

—dijo—. Pues esta tiene la misma música, pero trata de Melvil Dewey. ¡Allá va!

Y empezó a cantar la primera estrofa:

«¡Tengo tantos libros que debo ordenar!»,
dijo Melvil Dewey con mucho pesar.
«¡Esta mañanita me pondré a inventar
una forma fácil de clasificar!».

La bibliotecaria cantó todas las estrofas con la guitarra y la armónica. Molaba bastante.

Por lo visto, Melvil le echó una carrera a un ordenador para ver quién tardaba menos en clasificar unos libros, ¡y ganó el bibliotecario! Pero resulta que, nada más archivar el último libro, Melvil cayó muerto en el suelo de la biblioteca. Eso moló más todavía.

Cuando la canción se acabó, Andrea se puso de pie, empezó a aplaudir y

todos tuvimos que hacer lo mismo, claro.

—¡Es la historia más triste que he oído en mi vida! —exclamó Emily, secándose las lágrimas.

La señora Viñeta nos preguntó si teníamos alguna duda sobre el funcionamiento de la biblioteca.

—¿Es verdad que, si no te devolvemos los libros a tiempo, nos encerrarás en un calabozo del sótano? —le pregunté.

Todos se echaron a reír, y eso que yo lo había preguntado muy en serio.

—¡Qué tontería! —exclamó la bibliotecaria—. El calabozo no está en el sótano del colegio, sino en el tercer piso.

No estoy muy seguro de si lo dijo en broma… o no.

La siguiente vez que nos tocó la hora de biblioteca, nos recibió un tipo con barba que bajó de la casita del árbol.

Llevaba un peto vaquero, una pala y un saco bastante grande. Además, iba descalzo y se había puesto un cazo en la cabeza, como si fuera una gorra. Tenía una pinta rarísima, y para mí que se parecía a la bibliotecaria…

—Señora Viñeta, ¿por qué llevas un cazo en la cabeza? —le pregunté.

—¿Señora Viñeta, has dicho? —preguntó aquel hombre con una voz rarísima, también—. Debes de confundirme con otra persona. Yo me

llamo Johnny Manzanas, estamos en el año 1800 y voy de ciudad en ciudad plantando manzanos por el camino.

—¡Bah, tú no eres Johnny Manzanas! —exclamó la lista de Andrea—. ¡Tú eres la señora Viñeta!

—En mi vida he oído hablar de ninguna señora Viñeta —replicó el hombre—. Te repito que yo me llamo Johnny Manzanas porque me dedico a plantar manzanos allá por donde voy.

Dijésemos lo que dijésemos, no hubo manera de convencer a aquel tipo de la barba de que él no era Johnny Manzanas. Incluso nos leyó un cuento sobre su vida y nos contó un montón de cosas sobre las manzanas:

—¿Sabéis que llevamos miles y miles de años comiendo manzanas?

—Uf, pues a lo mejor deberíamos masticar un poco más rápido —salté yo, y todos se echaron a reír.

Luego, Johnny Manzanas nos llevó al patio del colegio, nos ayudó a plantar un manzano de verdad y, antes de volver a clase, nos invitó a tomar un aperitivo de manzana.

Creo que entendí por qué aquel hombre iba así vestido, y también por qué no paraba de plantar manzanos y de contar historias sobre manzanas..., ¡pero lo que no pillé fue por qué porras llevaba un cazo en la cabeza!

Aquel Johnny Manzanas era bastante raro.

Cuando volvimos a clase, le conté a la señorita Lulú lo que había pasado en la hora de biblioteca.

—¿Sigues pensando que los libros son un rollo patatero, A.J.? —me preguntó.

Y yo le contesté:

—Sip.

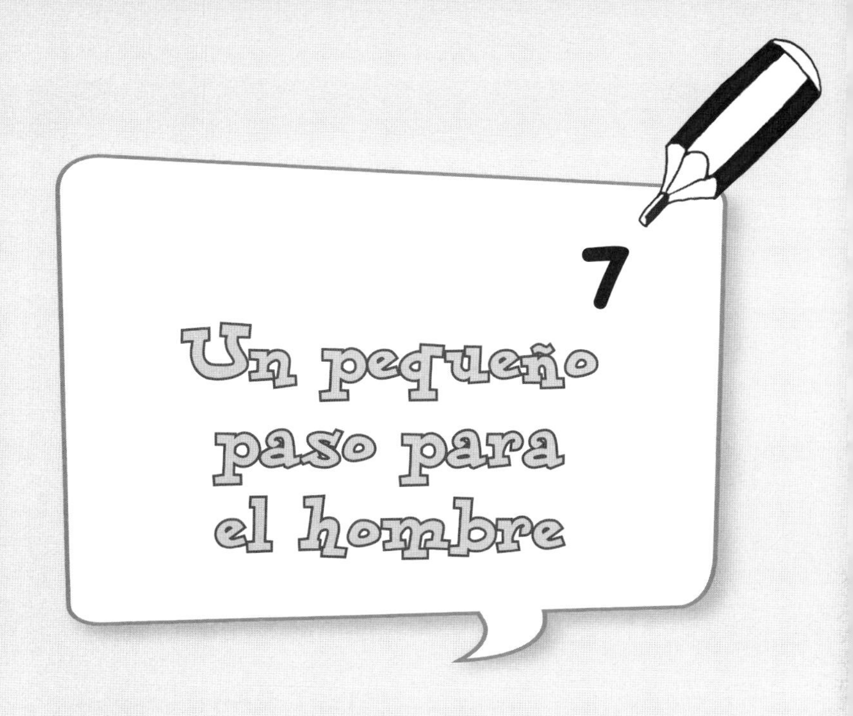

7 Un pequeño paso para el hombre

A aquellas alturas, no estábamos seguros de si Johnny Manzanas y George Washington habían estado en el colegio, o de si solo había sido la bibliotecaria disfrazada.

La verdad es que la señora Viñeta parecía un poco majareta, pero…

—Necesitamos pruebas —dijo Michael—. Mi padre es poli y dice que, si quieres estar seguro de algo, tienes

que tener pruebas, y que sin ellas, como si quieres arroz, Catalina.

—Pero… ¿qué tiene que ver el arroz en todo esto? ¿Y quién es Catalina? —pregunté.

—Ni idea —contestó Michael.

—Además de poli, tu padre es un poco raro, ¿no? —le dije yo.

—¿Cómo vamos a demostrar que la señora Viñeta se está disfrazando de otras personas? —preguntó Ryan.

—¡Le tomaremos las huellas dactilares! —se emocionó Michael—. Cada persona tiene unas huellas distintas a las del resto del mundo, ¿sabéis? Si le tomamos las huellas a Johnny Manzanas y luego a la señora Viñeta, puedo hacer que mi padre las analice. Y si las huellas son iguales, ¡esa será la prueba de que la bibliotecaria

se está haciendo pasar por Johnny Manzanas!

Ryan y yo tuvimos que reconocerlo: Michael era un genio.

La próxima vez, invitaríamos a la señora Viñeta a un minitetrabrik de zumo, y como para bebérselo tenía que tocarlo..., ¡pam, sus huellas quedarían pegadas en él! Un plan perfecto, ¿eh?

Cuando por fin nos tocó volver a la biblioteca, nos la encontramos a oscuras, con las persianas bajadas y todo. Primero pensamos que estaba cerrada, pero entonces oímos un ruido que venía de la casa del árbol y todos miramos hacia arriba.

Alguien estaba bajando por la escalera, y fuese quien fuese, se movía como a cámara lenta... ¡y llevaba un traje espacial!

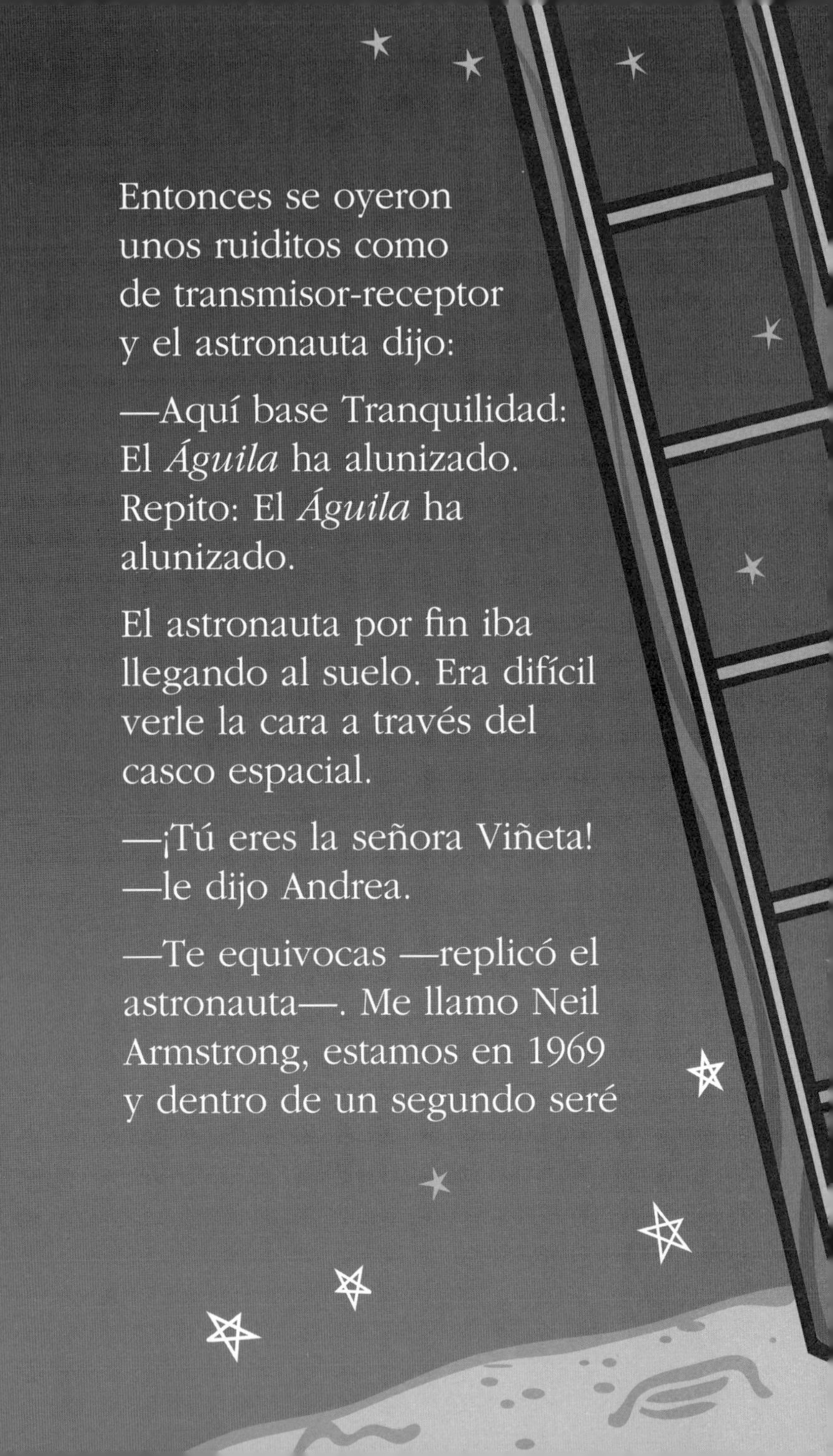

Entonces se oyeron unos ruiditos como de transmisor-receptor y el astronauta dijo:

—Aquí base Tranquilidad: El *Águila* ha alunizado. Repito: El *Águila* ha alunizado.

El astronauta por fin iba llegando al suelo. Era difícil verle la cara a través del casco espacial.

—¡Tú eres la señora Viñeta! —le dijo Andrea.

—Te equivocas —replicó el astronauta—. Me llamo Neil Armstrong, estamos en 1969 y dentro de un segundo seré

la primera persona del mundo que ponga un pie en la Luna.

Muuuuuy despacito, Neil Armstrong puso un pie en el suelo de la biblioteca y dijo:

—Un pequeño paso para el hombre, ¡un gran salto para la humanidad!

Por más que intentamos convencer a Neil Armstrong de que en realidad era la bibliotecaria disfrazada de astronauta, él siguió dale que te pego con que no, y veeeeenga a enseñarnos libros sobre la Luna, el Sol, las estrellas, los planetas, los satélites, las galaxias…

Fue casi, casi guay, fíjate lo que te digo.

—¿Quieres un poco de zumo? —le preguntó Michael, ofreciéndole el minitetrabrik.

—No, muchas gracias —respondió Neil Armstrong—. Debo regresar a la Tierra ahora mismo. Y creo que vosotros tenéis que volver a clase con la señorita Lulú.

Y volvió a subirse a la casa del árbol.

Michael se quedó todo chafado al no conseguir sus huellas dactilares.

Cuando volvimos a clase, le conté a la señorita Lulú lo de que Neil Armstrong había sido el primer hombre en pisar la Luna y todo eso.

—¡Uauuu, qué emocionante! —exclamó ella—. Por cierto, A.J., ¿aún sigues pensando que los libros son un rollo patatero?

Y yo le contesté:

—Sip.

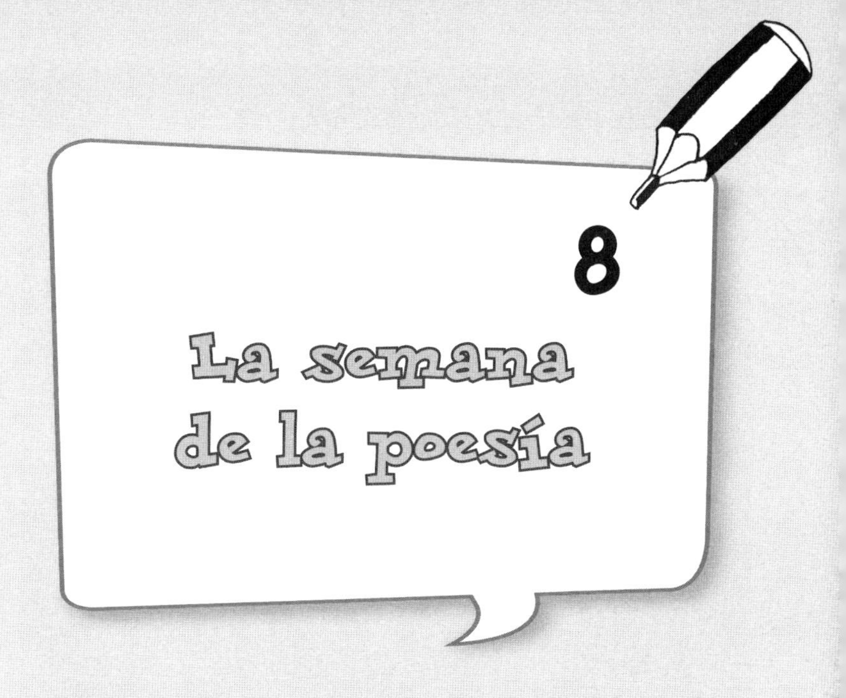

8
La semana de la poesía

La única forma de demostrar que la bibliotecaria se disfrazaba sin parar para hacerse pasar por otras personas era tomarle las huellas dactilares.

Y Ryan, Michael y yo estábamos decididos a conseguirlas la próxima vez.

—¿Cuándo nos toca ir a la biblioteca? —le preguntamos a la señorita Lulú.

—Esta semana, no —dijo—. Hasta el próximo viernes, celebraremos en

todo el colegio la semana de la poesía.

—¡Jo, es que nosotros queríamos ir a la biblioteca! —protesté yo.

—¡Eso, eso! —me apoyaron Michael y Ryan.

La señorita Lulú se quedó de piedra. Hasta me puso la mano en la frente, igual que hace mi madre cuando cree que tengo fiebre.

—¿Te encuentras bien, A.J.? —me preguntó—. Debes de estar muy enfermo para querer ir a la biblioteca... ¿No dices siempre que los libros son un rollo patatero?

—Es que lo son —contesté yo—. Solo queremos ir a la biblioteca para demostrar que la señora Viñeta se ha hecho pasar por George Washington, por Johnny Manzanas y por Neil

Armstrong... ¡Tenemos que conseguir sus huellas dactilares!

—¡Bah, no digas tonterías! —exclamó la profe—. Una bibliotecaria jamás haría algo así.

Entonces sacó un libro que se titulaba *Canciones y poemas populares* y, cuando estaba a punto de ponerse a leer... ¡una mujer con una pinta rarísima apareció en clase!

Llevaba un vestido con falda de vuelo, un pañuelo en la cabeza y un bastón muy largo, y no paraba de dar saltitos de acá para allá.

—¡Eres la señora Viñeta! —le gritamos todos.

—¡Qué va! —replicó la mujer—. Soy una pastora, larán, larán, larito, y cuido un rebañito, larán, larán, larito. ¿Habéis visto un gato, larán, larán, larito, con ojos golositos, larán, larán, larito?

Todos contestaron «¡Nop!» menos yo, que dije:

—A lo mejor está cazando ratones en el calabozo de la tercera planta…

Michael intentó tomarle las huellas dactilares a la pastora, pero ella salió de clase dando saltitos (larán, larán, larito) sin tocar el minitetrabrick de zumo.

—Eso ha sido... un poco raro, ¿no creéis? —cuchicheó Emily, que parecía a punto de echarse a llorar, como siempre.

—Ya te digo... ¿A qué vendría tanto «larán, larán, larito»? —pregunté yo.

Nadie contestó, y mucho menos la señorita Lulú, que estaba tan campante, como si no hubiese pasado nada.

Entonces, un hombre con un plato de turrón entró de repente en clase.

—¡Eres otra vez la señora Viñeta! —le gritamos todos.

—¡De eso nada! —replicó el hombre—. Me llamo don Melitón, tengo tres gatos, los hago bailar en un plato y por las noches les doy turrón. Pero no sé dónde se han metido... ¿No los habréis visto?

Todos contestaron «¡Nop!» menos yo, que dije:

—A lo mejor están los tres comiendo sardinas en el calabozo de la tercera planta…

—Con tanto turrón, sus gatos tendrán sed… —dijo Michael—. ¿No quiere un poco de zumo para darles?

—¡No tengo tiempo para eso! ¡Debo encontrarlos primero! —dijo don Melitón, y se marchó corriendo.

Cuando salimos al recreo, vimos a una mujer muy sospechosa sentada en el césped, debajo de un árbol.

Michael, Ryan y yo fuimos corriendo a investigar.

Era la bibliotecaria, claro, con otro de sus disfraces.

—¿Eres otra vez la pastora, larán, larán, larito? —le pregunté, porque,

aunque no tenía bastón, sí que llevaba vestido con falda de vuelo y sombrerito.

—¡Para nada! —contestó la mujer—. Yo soy doña Tartana y busco a mi rana... ¿La habéis visto por aquí?

Michael y Ryan contestaron «¡Nop!», pero yo dije:

—A lo mejor está cazando moscas en el calabozo de la tercera planta...

—¿Y tampoco la habéis oído? —insistió doña Tartana—. Cucú, cantaba mi rana. Cucú, debajo del agua. Cucú, pasó un caballero. Cucú, con capa y sombrero. Cucú, pasó una señora. Cucú, con traje de cola...

Entonces llegaron Andrea y Emily, y la mujer les preguntó:

—¿Habéis visto a mi rana? Estaba sentada debajo del agua y, cuando

se puso a cantar, vino la mosca y la hizo callar. Entonces la mosca se puso a cantar, pero vino la arañ...

Justo en ese momento, una araña de verdad bajó colgando del árbol y casi se posa en el hombro de doña Tartana, que nada más verla, pegó un bote y salió pitando sin que a Michael le diera tiempo a tomarle las huellas dactilares.

Desde luego, aquella mujer era bastante rara...

El resto de la semana siguió más o menos igual.

Cada día, cuando menos nos lo esperábamos, uno de aquellos personajes raros aparecía en clase.

—¿Y ahora quién eres? —le preguntábamos.

—Soy el conde Olinos, y madrugaba la mañanita de San Juan para dar agua a mi caballo a las orillas del mar...

Otro día venía Mambrú y nos contaba que se iba a la guerra, qué dolor, qué dolor, qué pena.

Y otro aparecía alguien que preguntaba:

—¿Dónde están las llaves, matarile-rile-rile?

—A lo mejor en el calabozo de la tercera planta, matarile-rile-rón —le contestaba yo.

Y así toooooda la semana.

¿De verdad podía disfrazarse tantísimo la señora Viñeta?

A mí me daba que sí.

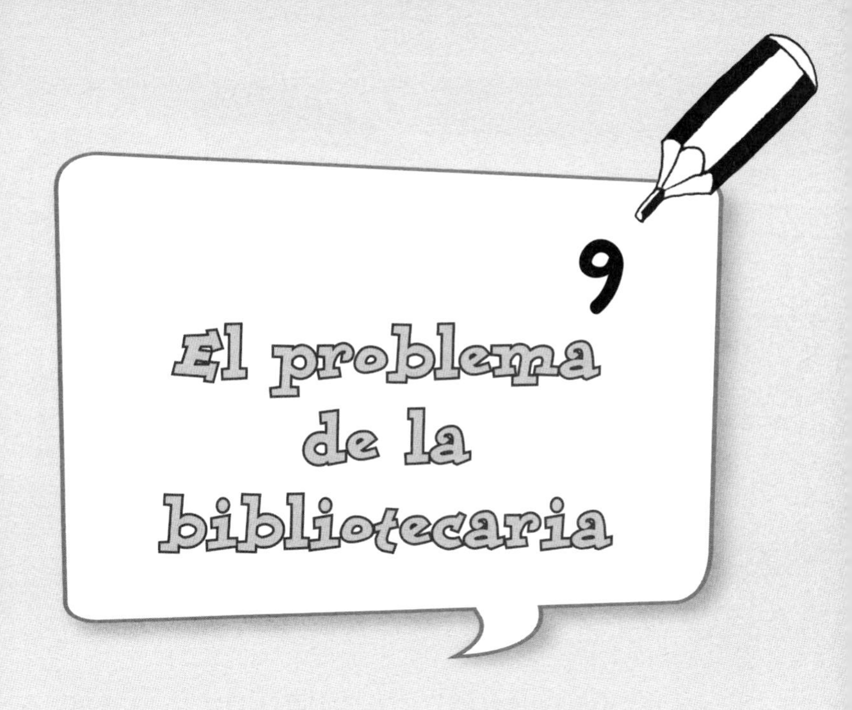

9

El problema de la bibliotecaria

Algo le pasaba a Andrea.

Ya no levantaba la mano en clase cada dos por tres, ni se pasaba tooooodo el tiempo presumiendo de saber más que nadie, ni se metía conmigo a tooooodas horas...

Era como si estuviera enferma o algo.

—¿Qué te pasa, Andrea? —le preguntó Emily con cara de angustia en

el recreo. Parecía a punto de echarse a llorar, para variar.

—Estoy preocupada por la señora Viñeta —contestó Andrea—. Creo que tiene serios problemas personales…

—¡Bah, tú sí que tienes serios problemas personales! —salté yo—. La señora Viñeta es la bibliotecaria más guay de la galaxia. ¿Preferirías que no se disfrazara de nada y solo se dedicase a leernos libros peñazo?

—No, pero mi madre, que es psicóloga, dice que hay gente que tiene más de una personalidad —explicó Andrea—. Eso pasa cuando estás convencido de que eres una persona y, al minuto siguiente, piensas que eres alguien completamente diferente. ¡Y te lo crees de verdad! A mí me da que la señora Viñeta tiene ese problema… No distingue la realidad de la ficción.

—¡Ostras, una bibliotecaria que no distingue la ficción de la no ficción!

Eso sí que es tener un problemón, sí... —reconocí yo.

—Ya te digo —añadió Michael.

—¡Tenemos que ayudarla! —exclamó Emily con los ojos llenos de lágrimas, como siempre.

—Pero ¿qué podemos hacer nosotros? —preguntó Ryan.

Empezamos a darle vueltas al asunto, y después de muuuucho pensar, ¡se me ocurrió un plan genial!

10

El registro

—¡Chist! —les mandé callar a todos—. Seguidme.

Solo faltaban cinco minutos para que acabara el recreo, y Ryan, Andrea, Michael, Emily y yo corrimos de puntillas hasta la biblioteca.

Por suerte, allí no había nadie. La señora Viñeta debía de estar en la sala de profesores.

Cuando llegamos a la sección de no ficción, nos pusimos a cuatro patas y gateamos hasta su despacho.

La puerta no estaba cerrada con llave, así que la abrí.

—Nos van a pillar, nos van a expulsar del colegio y nos van a meter en la cárcel para toda la vida... —lloriqueó Emily.

—Aquí es donde encontraremos la prueba definitiva —dije yo, sin hacerle ni caso.

Todavía a gatas, entramos en el despacho. Yo fui a encender la luz, pero Michael me dijo que, cuando su padre hacía registros en sus investigaciones secretas, nunca encendía las luces. Así que nos apañamos con la claridad que entraba por la ventana y nos pusimos a registrarlo todo.

—¿Encuentras alguna prueba? —me preguntó Michael.

—Todavía no.

Allí solo había un montón de cosas aburridas: papeles, carpetas, bolis, libros, una foto de la hija de la señora Viñeta… Ni una prueba, ni media.

—Tengo miedo —gimoteó Emily—. ¡Vámonos ya!

—Todavía no —ordené yo.

En una esquina del despacho había un armario que tampoco estaba cerrado con llave, y allí dentro aparecieron las pruebas que necesitábamos: el uniforme de George Washington, el peto de Johnny Manzanas, el traje espacial de Neil Armstrong, el vestido de pastora, larán, larán, larito…

Tooooodos los disfraces de la señora Viñeta estaban allí colgados.

—¡Toma ya! —exclamó Michael.

—Os lo dije —presumió Andrea.

—No, no nos lo dijiste —repliqué yo.

—¡Sí que os lo dije!

—¡Te crees que lo sabes todo!, ¿eh? ¡Pues que sepas que no eres tan lista!

En plena pelea, se encendió la luz del despacho y la señora Viñeta apareció en la puerta.

—¿Qué significa esto? —preguntó.

Fijo que estaba enfadada, porque tenía las manos en la cintura. Todos los mayores se ponen las manos en la cintura cuando se enfadan.

—¡Yo no tengo nada que ver! —exclamó Andrea—. ¡Ha sido idea de A.J.!

Esta Andrea es una joya... Además de plasta, ¡chivota!

Todos se quedaron mirándome.

Yo tenía que pensar algo rápido. No quería ir a la cárcel para toda la vida.

Así que saqué del armario el disfraz de George Washington y contraataqué:

—¿Y qué significa *esto,* señora Viñeta? ¡Nos dijiste que aquel día habías estado enferma y que quien vino en tu lugar fue George Washington! Así que... ¿cómo explicas que su uniforme esté aquí, en tu armario, eh, eh, eh?

Todos miramos a la bibliotecaria, que se quedó parada un segundo... ¡y luego se echó a llorar! Con mocos, hipo y toda la pesca, oye.

Daba tanta pena verla, que corrimos hacia ella y le dimos un abrazo entre todos.

Emily también lloraba a moco tendido, claro.

—¡Es horrible! —gimió la señora Viñeta, secándose las lágrimas.

—Tranquila —le dijo Andrea—. Vamos a conseguirte ayuda, ¿vale?

—¡No, si lo horrible es que George Washington debió de dejarse su uniforme en mi armario cuando estuvo aquí! —sollozó la bibliotecaria—. ¿Y sabéis lo que significa eso?

—¿Qué, qué? —preguntamos todos.

—Pues que, ahora, el pobre anda por ahí… ¡desnudo!

11

¡Reconócelo!

Incluso después de probar que la bibliotecaria se había estado disfrazando, ¡ella seguía sin reconocerlo!

—Parece que la señora Viñeta está pasando por la típica fase de negación —dijo Andrea—. ¡Y seguro que no tienes ni idea de qué es eso, A.J.!

—¡Pues claro que lo sé, listilla! —repliqué yo—. Es… es… lo que hacen los barcos por el mar.

—¡Eso es «navegación»! Cuando alguien pasa por la típica fase de «negación», significa que no es capaz de reconocer que tiene un problema.

—¿Y qué podemos hacer? —preguntó Ryan.

—Tenemos que decírselo al director —respondió Andrea muy seria.

El director es como el rey del colegio. Manda en todo, ¡hasta en los profes! Una vez me metí en un lío tan gordo que me obligaron a ir a su despacho y todo, pero en vez de castigarme, ¡él me dio una chocolatina!* Y es que, además de ser el rey del colegio, el director está un poco chiflado, ¿sabes?

Michael, Andrea, Ryan, Emily y yo le dijimos a la señorita Lulú que necesitábamos hablar con el director, que

* Si quieres conocer esta historia, léete *¡El director está cada vez peor!*, el n.° 2 de la colección.

era un asunto de vida o muerte, así que ella llamó corriendo a su despacho y, dos minutos después, él se presentó en nuestra clase.

No sé si algún día me acostumbraré a que el director no tenga ni un solo pelo en la cabeza. Pero ni uno, ¿eh? Es calvo como una bombilla.

Enseguida le contamos las cosas tan raras que hacía la bibliotecaria, lo de que podía tener un problema gordo y hasta lo de la fase de negación.

—Estamos muy preocupados por ella —dijo Emily, a punto de llorar.

—Hummm… La cosa parece grave —reconoció el director, frotándose la barbilla—.

Más vale que vayamos a hablar ahora mismo con ella.

Cuando llegamos a la biblioteca, la señora Viñeta estaba patas arriba en el suelo, como si se hubiera dado un buen porrazo.

Pero había algo más…

Estaba hecha una bola. ¡Parecía un huevo gigante, como si hubiera engordado un millón de kilos desde la última vez que la habíamos visto!

—Señora Viñeta…, ¿estás bien? —le preguntó Andrea, preocupada.

—¿Señora Viñeta? ¿Quién es esa? —se extrañó la bibliotecaria—. Yo me llamo Humpty Dumpty, estaba en lo alto del muro… ¡y me caí y sufrí un gran apuro!

—¡Tú no eres Humpty Dumpty! Humpty Dumpty es un personaje de

Alicia a través del espejo, la continuación de *Alicia en el país de las maravillas* —recitó Andrea como un papagayo—. ¡Tú eres la señora Viñeta, nuestra bibliotecaria! ¡Admítelo!

—Bueno, bueno, eso da igual ahora... —dijo el director—. Lo importante es que aquí se ha producido una caída grave y hay que rellenar un parte de accidente, y enviarlo al departamento de riesgos laborales, y a la consejería de educación, y...

—Oye, ¿y puedo darles yo un consejo a los de la consejería esa? —le interrumpí—. Porque se me está ocurriendo uno buenísimo: ¡Que quiten el colegio para siempre!

El director dijo que aquello no tenía gracia, y que se iba corriendo a llevar al médico a Humpty Dumpty, que enseguida se levantó del suelo y se sacudió la ropa tan tranquilo.

—Un momento… Quiero preguntarte una cosa —le dije a la bibliotecaria-huevo gigante.

—¿Sí, A.J.? —preguntó ella.

—Te llamas Humpty Dumpty, ¿no?

—Sí.

—Pues, si tu apellido es Dumpty, ¿por qué tus padres te llamaron Humpty? Te podrían haber puesto un nombre más normalito, como

Tom, o Sam... ¿Por qué les dio por ponerte Humpty?

—En realidad, Humpty es un mote... —respondió la señora Viñeta—. Mi verdadero nombre es Lumpty.

—¿Lumpty Dumpty? —pregunté, levantando una ceja.

—Eso es —contestó la bibliotecaria—. Con un nombre tan ridículo como Lumpty, entenderás perfectamente por qué prefiero que me llamen Humpty... Además, rima mucho mejor con Dumpty, ¿no crees?

Ya no había duda: La señora Viñeta estaba pero que muy, muy majareta.

—¡La semana de la poesía se ha acabado! —le recordó Andrea—. Ya puedes volver a ser la bibliotecaria, ¿vale? ¡Deja de hacerte pasar por todos esos personajes, por favor!

—¿Es que no os gusta la poesía? —preguntó la señora Viñeta.

—Sí nos gusta —contestó Andrea—, pero ya hemos tenido bastante.

—¡Pues yo odio la poesía, que lo sepáis! —exclamé—. ¿«Larán, larán, larito»? Por-fa-vorrrr… ¡Todas esas cancioncillas no dicen más que chorradas y son un rollo patatero, igual que los libros!

Humpty Dumpty, digooo… la señora Viñeta parecía dolida.

—Con lo que me he esforzado para que no te aburrieses… —dijo con voz triste—. Por favor, A.J., dime: ¿Hay algo en este mundo que no te parezca un rollo patatero?

Después de pensármelo un buen rato, por fin contesté:

—¡El BMX! Los saltos en bici no son un rollo patatero, ¿ves?

12

La prueba de todas las pruebas

Al día siguiente, estábamos dibujando con témperas en clase cuando, de repente, oímos que alguien gritaba por los pasillos del colegio:

—¡Cuidado! ¡Abrid pasoooooo!

—¿Quién será? —dijo la señorita Lulú.

Los gritos sonaban cada vez más cerca, hasta que alguien entró de sopetón en clase... ¡haciendo un caballito en una bici!

¡Era la bibliotecaria!

Llevaba gafas de sol, rodilleras, coderas y una camiseta que ponía «LIBROS SOBRE RUEDAS». Hasta se había puesto el pelo de punta y todo.

—¡Hey, colegas! —exclamó, derrapando justo delante de mi pupitre—. Acabo de hacer un par de trucos bestiales: un *barspin* y un doble *blackflip* que lo flipas... ¡Teníais que haberme visto! ¡Ha sido la caña!

Todos corrimos a ver mejor la bici de la señora Viñeta. Era una pasada.

—No sabía que las bibliotecarias controlaseis tanto de BMX —le dije yo.

—Es que yo no soy bibliotecaria —replicó—. ¡Soy ciclista profesional!

Ya estábamos otra vez.

—¡Tú eres la señora Viñeta, nuestra bibliotecaria! —le gritamos todos.

—¡Que nooooo!

—¡Que sííííí!

—¡Que nooooo!

—Pues la verdad es que parece una auténtica profesional de la bici —dijo la señorita Lulú.

Entonces me acordé de algo... ¡El tatuaje en forma de corazón que la

señora Viñeta tenía encima del ombligo!

—Tú eres la bibliotecaria... —dije, agarrándole la camiseta por abajo—, ¡y puedo demostrarlo!

—¡Ay, huy, ji, ji, ji...! —empezó a reírse la señora Viñeta—. ¡Suéltame, por favor, que tengo muchas cosquillas!

Cuando tiré de su camiseta, cayeron tres libros que llevaba escondidos debajo, con tan mala suerte que uno le acertó al vasito con agua sucia de témperas que había en mi mesa.

El vasito salió volando, el agua sucia salpicó a la señora Viñeta justo en la tripa y, aunque casi le tapa el tatuaje, aún se podía ver.

—¡Esa es la prueba! —saltó Michael—. ¡Tú eres la bibliotecaria!

—¡Mirad esto! —dijo Ryan, señalando los tres libros que se habían caído

al suelo. ¡Eran sobre BMX! Uno explicaba cómo hacer los mejores trucos con la bici, y los otros dos iban sobre ciclistas famosos. ¡Qué guay!

—No sabía que hubiera libros sobre BMX —le dije a la bibliotecaria.

—Yo no sé nada de libros —replicó ella—. Yo soy una profesional de la bici.

—Sí, sí, pero ¿puedo sacar esos tres de la biblioteca? —le preguntó Michael.

—¡Yo me los pido antes! —dijo Ryan.

—¡Eh, que el que los ha encontrado primero he sido yo! —protesté.

La señorita Lulú los recogió del suelo y me dijo:

—Siempre estás diciendo que leer es un rollo patatero, así que no creo que te interesen estos libros, A.J.

—¡Que sí! ¡¡Que me interesan mucho!!

—Está bieeeeen —dijo la profe, y le dio uno de los libros a Michael, otro a Ryan y el otro me lo pasó a mí—. Pero si no los devolvéis a tiempo a la biblioteca, la señora Viñeta os encerrará en el calabozo de la tercera planta, así que mucho ojo.

Todos nos quedamos mirando a la bibliotecaria, pero ella solo dijo:

—¡Chao, colegas!

Y salió pedaleando al pasillo.

La pobre señora Viñeta está majareta, pero entre todos intentaremos ayudarla, y a lo mejor para fin de curso… ¡conseguimos curarla!

Aunque no va a ser fácil.